Fanny Pageaud

Il y a
des monstres
dans
ma chambre !

L'atelier du poisson soluble

Il y a des monstres
dans ma chambre.

Personne ne me croit,
parce que personne
ne les voit.

Ils sont pourtant là, tout près,
je sens leur présence.

Ils se cachent…

... sous mon lit,

derrière la porte,

dans mon placard.

Ils me guettent
en permanence.

Le soir, j'ai peur
quand on éteint la lumière.

Car, dans le noir,
ils se baladent tranquillement,
sans que je puisse les voir.

Ils sont très malins.

Si je rallume, ils disparaissent
comme des ombres
car la lumière les fait fuir.

Tout ce qu'ils veulent,
c'est me faire peur
pour m'empêcher de dormir.

Mais eux aussi
ont peur de moi,
car si je le veux,
ils n'existent pas.

Tous ces monstres
sont dans ma tête…

… et il suffit de m'endormir
pour empêcher
qu'ils ne m'embêtent.

L'atelier du poisson soluble
35, boulevard Carnot
43000 Le Puy-en-Velay
www.poissonsoluble.com

Impression-reliure : Papergraf (Italie)

ISBN : 978-2-35871-096-1

Dépôt légal : novembre 2016

Ouvrage publié avec le soutien financier du conseil régional
AUVERGNE – RhôneAlpes